CHARLOTTE BREYER

Alle Jahre wieder

CHARLOTTE BREYER

Alle Jahre wieder

EIN ADVENTSKALENDER FÜR ÄLTERE

echter

Bibliografische Information der Deutschen Bibliothek

Die Deutsche Bibliothek verzeichnet diese Publikation in der Deutschen Nationalbibliografie; detaillierte bibliografische Daten sind im Internet über <http://dnb.ddb.de> abrufbar.

www.echter-verlag.de

Umschlag und Satz: Peter Hellmund
Druck und Bindung: Clausen & Bosse, Leck
ISBN 3-429-02618-0

INHALT 

1. TAG

Die vierundzwanzig Wartetage

Immer Anfang Dezember warten die Kinder – und nicht nur die kleinen – auf ihren Adventskalender, um sich dem Heiligabend »entgegen zu zählen«. Gekauft oder von Müttern gebastelt, gehört er wie der Adventskranz zur Vorweihnachtszeit.

Eine Mutter in Maulbronn war es, die den Prototyp des Advents-Kalenders, wie wir ihn heute kennen, erfand. Sie hatte dem ungeduldigen Sohn, der sie immer wieder fragte, wann denn nun das Christkind endlich komme, für jeden Tag, den er noch warten mußte, ein Viereck auf einen Karton gemalt. Jedes Viereck bedeute, so erklärte sie ihm, einmal Aufstehen und einmal zu Bett gehen. Und um ihm das Warten zu versüßen, nähte sie an jedes Viereck ein kleines Gebäckstück.

Gerhard Lang (geboren 1881), so hieß der kleine Junge, ging später nach München, wurde

Verleger und machte aus der Idee seiner Mutter ein großes Geschäft. Als nämlich in seiner Lithographischen Kunstanstalt »Reichhold und Lang« eine Auftragsflaute zu überbrücken war, erinnerte er sich an seine Kinderzeit und entwarf den »Münchner Weihnachtskalender«. Dieses erste gedruckte Exemplar seiner Art trug den Untertitel »Die vierundzwanzig Wartetage« und kostete 30 Pfennige.

Es folgten weitere Auflagen. 50 verschiedene Modelle, teilweise von populären Künstlern entworfen, gab es im Angebot, und bald waren die Kalender in aller Welt verbreitet. Überall aber übernahmen auch Konkurrenten die neue Idee, und während andere Firmen bald billiger produzierten, mußte Lang kurz vor dem zweiten Weltkrieg seine Firma dicht machen. Er hatte nämlich vergessen, seine Idee patentieren zu lassen.

Auch die anderen Bräuche der Adventszeit sind gar nicht so alt, wie wir manchmal denken. Der Adventskranz zum Beispiel wurde erst um 1850 »erfunden«. Mit pädagogischen Absichten vom evangelischen Pfarrer Johann Hinrich Wichern, Leiter einer Erziehungsanstalt in Hamburg und Begründer der Inneren Mission. Er schmückte einen wagenradgroßen Leuchter mit 24 Kerzen. Der Zögling, der am Vortag besonders brav war, durfte bei der Morgenandacht die nächste Kerze anzünden.

Kranz und Kalender zählen auch heute noch Tage und Wochen bis Weihnachten. Die Texte dieses Büchleins, liebe Leserinnen und Leser, wollen Sie eher begleiten, vielleicht auch ermuntern, diese ganz besondere Zeit im Jahreslauf mit Freude und guten Gedanken zu füllen. Wer älter geworden ist, zählt nicht mehr die Tage wie in der Kinderzeit, sondern verweilt gern und genießt den Augenblick, wenn es ein guter ist.

2. TAG

Von Terminen und guten Taten

Es gibt Projekte, von denen alle sagen: Müßte man eigentlich machen! Und keiner tut's. Bis sich das Jahr dem Ende zuneigt. Dann bricht Hektik aus. So als müßte all das noch bewerkstelligt werden, was man elf Monate lang zwar im Herzen bewegt, aber dann doch vor sich hergeschoben hat. Jetzt im Advent endlich soll es wahrwerden.

Also beginnt neben all den praktischen Vorbereitungen auf Weihnachten auch noch eine Rallye der guten Taten. Adventstreffen der Selbsthilfegruppe, Basare, Benefiz-Konzerte und der Besuch des Weihnachtsmärchens mit den Enkelkindern stehen schon im Kalender. Nicht zu vergessen das Plätzchenbacken und das Abpacken der Tütchen für diejenigen, die schon Ende November gefragt haben: Backst du wieder? Und überall wird gesammelt und gespendet. Viel Gutes wird getan in diesen Wochen. Das ist man sich schuldig, und in der Lokalzeitung wird eifrig darüber berichtet.

Ganze Bildleisten, Männer zeigend, die gemeinsam einen überdimensionalen Scheck in den Händen halten, den sie der Vertreterin einer Wohltätigkeits-Organisation übergeben, sind da zu bewundern. Und alle sind dankbar, denn das Geld wird wirklich nötig gebraucht, und viele warten auf Zuwendung.

Aber manchmal fragt man sich schon, warum in den Monaten zuvor niemand daran denkt, einmal einen Nachmittag im Altersheim zu verbringen, dort, wo sich jetzt, im Advent, alle Lokalpolitiker zum »Weihnachtssingen« angesagt haben und Verwandte mit Adventsgestecken in den Händen durch die Eingangstüren schwingen. »Wir kommen jetzt schon, weil wir nicht wissen, ob wir das sonst vor Heiligabend noch schaffen. Du verstehst doch?«

Natürlich versteht die alte Dame. Es geht ja um Weihnachten, das Fest der Liebe, und alle haben viel zu tun damit.

Im Mai aber oder im August, wenn das Pflegepersonal Urlaub macht, da wäre ein Besuch ein echter Lichtblick gewesen.

Und auch die entfernte Verwandte, die jedes Jahr mit einem Einkaufs-Gutschein bedacht wird

– die Rente ist sehr klein, man weiß das – würde sich im Sommer vermutlich sehr über eine unverhoffte Einladung freuen. Menschen fallen uns da ein, die wir schon längst einmal erfreuen wollten, die auf Nachricht warten, auf Anteilnahme, vielleicht sogar auf Hilfe. Und beim Schreiben der Weihnachtspost nehmen wir uns vor, daß das alles anders werden soll im nächsten Jahr.

Advent ist zwar im Dezember, aber ein offenes Herz kann man wohl auch im August haben.

3. TAG

Weihnachts-Blues

Depressive Verstimmung nennen Fachleute den Zustand unerklärlicher Schwermut. Mehr Frauen als Männer kennen sie. Sie leiden, aber sie haben nichts vorzuzeigen. Keine Gehhilfe, keinen gebrochenen Arm, keinen Verband. »Jeder kennt solche Phasen«, sagen die selbsternannten Experten im Bekanntenkreis, »da muß man durch, das wird schon wieder.«

Hilfreich sind solche Anmerkungen nicht. Gerade der Start in die winterliche Zeit ist für viele Menschen schwierig. Weniger Tageslicht, weniger Sauerstoff, weniger Möglichkeiten, ins Freie zu gehen und Frust einfach »wegzulaufen«, das alles trübt die Stimmung. Mutlosigkeit kommt auf, Dissonanzen in der Familie werden jetzt besonders stark empfunden. Die sich von Tag zu Tag steigernde Adventsstimmung stört, und die guten Wünsche für ein »schönes Fest«, die jeder jedem im Vorbeigehen zuruft, nerven.

Weihnachten ist, seit es gefeiert wird, eben mehr als ein Fest der christlichen Kirchen. Es ist ein Volksfest eigener Art, Fest des einzelnen und Fest der Gemeinschaft. Für manche auch Ausdruck der oft schmerzlichen Sehnsucht nach Erneuerung.

Da ist es kein Wunder, wenn Erinnerungen an die Geborgenheit im Haus der Kindheit, an die eigene junge Familie mit ihren Hoffnungen und Träumen wehmütig stimmen. Denn die Gegenwart heißt oft Einsamkeit, leben und feiern ohne Partner, ohne Kinder.

Was elf Monate im Jahr nicht anders ist, macht in der Adventszeit das Herz schwer. Nennen wir diese Befindlichkeit nicht Depression, nennen wir sie Weihnachts-Blues, Stimmung in Moll, die wir zulassen dürfen, von der wir uns eine Zeitlang treiben lassen, die wir aber auch wieder vertreiben können.

Zum Beispiel mit dem Versuch, an den 24 Adventstagen einmal ganz bewußt Zugang zu den spirituellen Inhalten dieser Zeit zu finden, die etwas mit Ankommen zu tun hat und viel mit uns und dem Kind in uns. Lesen kann da helfen, Musik hören, in den Tageszeitungen nach kulturellen Angeboten suchen und natürlich Gottesdienste besuchen und über Predigten nachdenken.

In manchen Kirchen werden an Spätnachmittagen Advents-Meditationen angeboten. Wer das Halbdunkel eines Kirchenschiffs betritt, im Rahmen klassischer Architektur Musik und Texte hört, um so für eine Weile ganz bei sich selbst zu sein oder, ganz im Gegenteil, von sich loszulassen, hat schon gewonnen. Man muß nicht fromm sein, um diese Seelenstärkung zu nutzen. Sie ist ein Angebot an alle.

4. TAG

Jemand hat Blumen geschickt

Trübes Winterabend-Wetter, schnell noch eingekauft nach dem Krankenbesuch, volle Straßenbahn, müde Gesichter. Wie mag es weitergehen mit der kranken Freundin? Wird sie resignieren nach dem Schlaganfall, oder wird sie kämpfen, um wieder ohne fremde Hilfe laufen zu können? Was wird sein, wenn sie aus dem Krankenhaus entlassen wird?

Draußen fallen nasse Schneeflocken. Rasch von der Haltestelle zur Haustüre, die Treppe hinauf. Was liegt da vor der Tür? Ein Blumenstrauß, eingepackt in blaues Papier. Wer hat ihn geschickt? Wer wohl, warum wohl?

Schnell die Brille gesucht. Ein Kärtchen gibt Auskunft. Natürlich, heute ist Barbara-Tag, der 4. Dezember, und ein lieber Mensch hat daran gedacht.

Wenig wissen wir von der heiligen Barbara. Daß sie in Kleinasien gelebt hat im dritten Jahrhundert nach Christus. Daß sie eine der 14 Nothelfer ist und zugleich Schutzpatronin der Artilleristen und Bergleute, daß sie aber auch die Gefangenen, die Glöckner, Architekten und Waffenschmiede beschützt. Reich soll sie gewesen sein, von ihrem Vater sehr geliebt. Eifersüchtig sperrte er sie in einen Turm, wenn er unterwegs war. Als sie Christin wurde und sich taufen ließ, versuchte er vergeblich sie umzustimmen. Sie starb für ihren Glauben, und ihr Vater, der sie verraten hatte, wurde vom Blitz erschlagen.

Die Legende berichtet auch, daß in der Zelle, in der sie den Tod erwartete, ein Zweig zur Blüte kam und ihr an den letzten Tagen ihres Lebens Trost spendete. Daran erinnert unser schöner Adventsbrauch, am 4. Dezember Zweige von frühblühenden Bäumen oder Sträuchern zu schneiden und sie in das warme Zimmer zu stellen. Gibt es am Heiligabend Blüten, sagt das Gutes für die Zukunft voraus.

Rasch also in die Vase mit den Zweigen! Wie sehr man sich doch freuen kann über diese blühende Überraschung am Tag der heiligen Barbara, der auch der Tag der Sorge um die kranke Freundin ist!

Es sind diese unerwarteten Dinge, die das Herz bewegen, und weil sie seltener werden mit den Jahren, sind sie um so wertvoller. Früher wurde manches angenommen und zu wenig gewürdigt, manche Aufmerksamkeit als selbstverständlich betrachtet und nicht erwidert. Freundliche Worte fallen leicht, Freundschaft halten ist schwer. Mit der Zeit wird der Kreis kleiner. Nicht jede Beziehung hält das Alter aus, ist stark genug für die beschwerlichen Jahre. Um so wichtiger sind die Menschen, die geblieben sind. Ob sie nun im Krankenhaus liegen und Hilfe brauchen oder ob sie Blumen schicken.

5. TAG

Schnupfen mit Erinnerungen

In diesen Tagen von Husten, Schnupfen, Heiserkeit erfaßt zu werden ist wirklich kein Spaß. Der Kalender ist voller Termine, und auf dem Einkaufszettel ist noch ziemlich wenig abgehakt. Was tun? Zum Arzt gehen oder sich selbst kurieren?

Viele entscheiden sich für letzteres, so das Ergebnis einer Umfrage nach dem Start der Gesundheitsreform. Wer schleppt sich schon gern mit müden Gliedern durch Eis und Schnee zum Hausarzt, wo im Wartezimmer nach Entrichtung der Praxisgebühr zusätzliche Bakterien lauern? Da bleiben wir doch lieber bei unserem Adventskranz und bei Großmutters Hausrezepten auf dem heimischen Sofa und geben uns unter Anwendung von Halswickel, Vitamin C und allenfalls Aspirin dem Selbstheilungsprozeß hin. Bei leicht erhöhter Temperatur, Kerzenlicht und ein bißchen Rum im Tee kann das leicht zu einem Gedankenflug rückwärts in die Vergangenheit werden.

Wie war das früher, als man noch ein Kind war? Man wurde ins Bett gepackt, die Zudecke um den Körper gewickelt und strammgezogen. Im Zimmer nur Dämmerlicht, kein Radio, Fernseher gab es sowieso noch nicht. Wie ein nicht abgeschicktes Paket lag man da, vom Fieber ein bißchen müde, aber gleichzeitig hellwach und voller Bilder im Kopf. Nikolaus, goldene Schlitten mit Glöckchen, das Christkind gar, umgeben von Weihnachtsengeln, erfüllten das Zimmer. Man lauschte auf die Geräusche im Haus, träumte ein bißchen, schlief ein bißchen, und wenn man aufwachte, lagen Engelshaar und Goldstaub auf der Bettdecke und auf dem Nachttisch duftete ein Plätzchen.

Wo immer das war, in Bayern oder Schlesien, es war in einem anderen Land zu einer anderen Zeit. Im Kinderland eben, und niemand, der nicht ähnliche Erinnerungen hätte. Der Bombenkrieg konnte sie nicht auslöschen, sie sind mit auf die Flucht gegangen und haben sich fest eingenistet in unseren Herzen, egal, wo wir heute zu Hause sind.

Und so kommen diese Erinnerungen an einem Schnupfentag im Dezember zu Besuch, bringen Gesichter, Gerüche und Stimmen mit. Und während wir noch ein bißchen Rum in den Tee geben, meldet sich in uns das Kind von damals, mit all seinen Sehnsüchten und Weihnachtsgedanken. Wir kennen das inzwischen, denn Altwerden hat nun mal damit zu tun, daß sich ab und zu die Jahre mischen. Und ein Schnupfen im Advent kann so zu einer wundersamen Reise in die Vergangenheit werden.

Gute Besserung!

6. TAG

Großmutters Traum

Welche Aufgaben haben Großmütter? Anthropologen meinen, daß sie von alters her »für das Gedeihen einer Gruppe unersetzlich sind, weil sie durch ihre tätige Mithilfe dafür Sorge tragen, daß sich die jungen Mütter der weiteren Fortpflanzung widmen können«. Manche behaupten sogar, Großmütter seien Garantinnen für das Überleben der Enkelkinder.

Anton sieht das auch so. Er ist sechs und gerade in die Schule gekommen. Er braucht seine Großmutter für vielerlei. Zum Beispiel geht er gerne mit ihr einkaufen. Jetzt, in der Adventszeit, am liebsten in die Läden der Innenstadt, weil es dort gut riecht, Lichterketten leuchten und Dinge zu sehen sind, die wie durch Zauberhand in Schneelandschaften aus Watte liegen. Mal begegnet er dabei dem Christkind, mal dem Weihnachtsmann, mal dem Nikolaus, je nachdem.

Ist das Christkind das Kind vom Weihnachtsmann oder vom Nikolaus, will Anton wissen, der gerne Fragen stellt.

Großmutter versucht Zeit zu gewinnen. Im Geiste sortiert sie das himmlische Personal. Sie will Anton keine Antwort schuldig bleiben. Schließlich sieht er seit Wochen Weihnachtsmänner und Christkinder, in alle setzt er große Hoffnungen, denn er hat gehört, daß die Geschenke – mit denen er in großer Zahl rechnet – von ihnen gebracht werden.

Während sie noch nachdenkt, entdeckt Anton auf einem Tisch Computerspiele und vergißt die Frage nach dem Nikolaus.

Der Wunsch nach einem Spiel erfüllt sein ganzes Herz, seinen Kopf, seine Hände, eigentlich seinen ganzen Körper. Jetzt will er nur noch das eine, und zwar sofort.

Großmutter meint, daß Anton kein Computerspiel braucht, aber sie spürt, was sich jetzt ereignen wird: Wenn er es nicht bekommt, wird er hier in diesem Laden, vor den Augen des Nikolaus, dessen Herkunft ihm jetzt ganz egal ist, umfallen, auf dem Boden liegen bleiben und schreien, bis der Notarzt kommt. Großmutter ist in Not. Was tun? Schon rötet sich Antons Gesicht, schon sammelt er Kraft, seine Stimme wird schrill und sein Kopf wächst, ist schon zweimal so groß wie ein Fußball. Die Kunden im Laden drehen sich um, der Nikolaus ergreift die Flucht, und der Weihnachtsengel, der an der Eingangstüre stand, fliegt mit rauschenden Flügeln davon. Großmutter ist wie gelähmt, kommt nicht an Anton heran, streckt die Hand nach ihm aus, und in dem Moment, da sie zugreifen will, steckt sie ein als Knecht Ruprecht verkleideter Anthropologe in den Sack.

Schweißgebadet wacht sie auf. Es ist der 6. Dezember. Heute kommt der Nikolaus, und sie hat vergessen, ein Computerspiel zu kaufen.

Quittenwürste für Goethe

Katharina Elisabeth Goethe, Frau Aja, wie sie von Freunden genannt wurde, war eine Lebenskünstlerin, die ihre Freude an den Genüssen, die Küche und Keller zu bieten haben, auf den berühmten Sohn vererbte. Das zeigte sich vor allem auch an den Weihnachtsbräuchen, die im Haus am Großen Hirschgraben in Frankfurt gepflegt wurden. »Das Christfest macht mir das Herz warm und froh. Sein heller Stern hat mir immer geholfen, wenn es dunkel und kalt war«, so hat Goethes Mutter in einem Brief beschrieben, was Weihnachten für sie bedeutete.

Bereits die Adventszeit war ein einziges Genießen und Schmausen; vielerlei Rezepte sind erhalten. Es begann schon mit der Martinsgans im November, die mit Kastanien gefüllt wurde und die Johann Wolfgang ganz besonders liebte. Und weil der Sohn diese Köstlichkeiten auch in späteren Jahren auf seinem Tisch sehen wollte, sorgte die Mutter alljährlich dafür, daß per Pferdepost Kästen mit »castanien« von Frankfurt nach Weimar gelangten. Überhaupt gab es einen regen Paketversand um die Weihnachtszeit, denn der »Hätschelhans« und seine Familie wurde auch mit Frankfurter Schwartemagen versorgt, den übrigens auch Anna Amalia von Sachsen-Weimar, die Mutter des Herzogs, bei dem Goethe in Diensten stand, nicht verschmähte. Zu den Süßigkeiten, die es so nur in Frankfurt gab, gehörten auch Quittenwürste: in Hammel- oder Schweinsdärme gefüllte süße Quittenmasse, die nach einiger Zeit der Lagerung am Teetisch Scheibe für Scheibe aufgeschnitten wurde.

Auf dem Weg von Frankfurt nach Weimar wurden in Fulda, so wird berichtet, die Pferde der Postkutschen umgespannt. Dabei passierte einmal ein »Schurkenstück«, über das sich Katharina Elisabeth Goethe kaum beruhigen konnte: Auf dem Postwagen wurde das Paket geöffnet und die Köstlichkeiten aus Frankfurt fanden fremde Genießer. Am 24. Januar 1804 schreibt eine empörte Mutter an Christiane Vulpius, Goethes tüchtige, von ihm spät geheiratete Ehefrau und Mutter des einzigen Enkels: »Daß das Christkindlein von

Ihnen und dem lieben August Beifall erhalten hat, war mir sehr erfreulich – daß aber die Schurken den Confekt gefressen haben, hat mich geärgert. Erfahrung macht klug – auf ein andermal sollen die Gaudiebe es wohl bleiben lassen.« Und im Jahr darauf heißt es: »Das Christkind soll zur rechten Zeit erscheinen, den Confekt sollen die Spitzbuben diesmal ungefressen lassen, die Schachtel wird einballiert. Lieber Sohn, wenn also ein Päckchen in Wachstuch eingenäht erscheint, so mache es allein auf. Ich muß eilen, damit der Postwagen nicht versäumt wird.«

Frau Ajas Hätschelhans übrigens ließ sich auch nach dem Tod seiner Mutter mit den Genüssen seiner Kindheit verwöhnen. So beauftragte er noch als 83jähriger seine Freundin Marianne Willemer in Frankfurt damit, ihm zur Winterzeit bei »mäßiger Kälte« ein paar Schwartemägen zu senden.

8. TAG

Am Ende des Weges

»Das ist jetzt das vierte Mal, daß ich den Advent hier in diesem Hause erlebe«, sagt der alte Herr, der zu einem Lichtbildervortrag über das Leben des heiligen Nikolaus in den Saal gekommen ist. Der Raum im Erdgeschoß des Seniorenheims ist mit Tannengrün geschmückt. Stühle werden gerückt, Gehhilfen neben dem Sitzplatz abgelegt. Eine alte Dame tritt durch die Tür und wird an einen Tisch gewunken, wo man sie bereits erwartet.

Er habe seine große Wohnung aufgegeben, nachdem seine Frau gestorben war, sagt der Achtzigjährige. »Wer heute alt wird, muß sich den Umständen anpassen. Ich wollte mich selbst entscheiden, nicht warten, bis womöglich die eigenen Kinder über mich verfügen. Also bin ich hier und bereue es nicht.«

Freilich, dies ist ein Haus des Alters. Viele leben hier, die sich genau an ihre Schulklasse erinnern, aber nicht wissen, welches Datum heute ist. Im

Aufzug begegnet man ihnen, manche sprechen kein Wort, andere sind unternehmungslustig, manche Frauen wirken befreit von den Pflichten des Haushalts, vielleicht auch von der Sorge um einen kranken Mann. Jetzt sind sie allein, zum ersten Mal in ihrem Leben haben sie nur für sich zu entscheiden. Beginnt noch einmal ein neuer Lebensabschnitt?

Auch Ehepaare führen hier ihren kleinen, letzten gemeinsamen Haushalt. Männer und Frauen, die zusammen alt geworden sind, nicht immer in Frieden. Jetzt stützen sie sich gegenseitig, ohne viel Worte zu machen, halten Kontakt nach draußen, zu den jüngeren Freunden, zu den Kindern, gehen täglich zur gleichen Zeit zum Postfach an der Rezeption. »Ob man sich hier wohlfühlt oder nicht, hängt davon ab, wie man das Altwerden annimmt«, sagt die Leiterin des Hauses, »man kann es den Menschen ansehen, wenn sie hier einziehen, wie es für sie weitergehen wird. Wer zu spät kommt, hat es schwer.«

Das zeigt auch diese Stunde im adventlich geschmückten Saal. Die einen folgen mit offener Miene dem Vortrag, die anderen blicken nach innen, sind abwesend. Hier ist das Alter versammelt. Und für die, die niemals etwas anderes gekannt haben als ihren Arbeitsplatz, ihre Familie, ihr tägliches Pensum mit dem Gerüst aus Pflichten und festliegenden Daten, hat es Leere gebracht. Sie fühlen sich überflüssig, werden von Tag zu Tag unsichtbarer. »Man kann sehen, wie sie verschwinden«, sagt der alte Herr, der sich im Heimbeirat engagiert, Mitglied in verschiedenen Vereinen geblieben ist und einmal in der Woche zum Bridgespielen geht. »Und das stimmt traurig. Man sollte sich ihnen zuwenden.« Er tut es. Spricht die Menschen an, hält Türen offen, statt grußlos voranzugehen, und schaut im Aufzug nicht abweisend in die Luft. »Das alte Herz braucht gute Worte«, sagt er, und der Blick seiner sehr hellblauen Augen wandert durch den Raum.

Alle hier sind am Ende des Weges angekommen. Wie oft werden sie die Rituale des Jahreslaufs noch erleben? Wie oft noch Advent, die vier Wochen vor Weihnachten, die zu tun haben mit Erwartung, Vorfreude und Ankommen, die in jeder Lebensphase anders verlaufen?

9. TAG

Texte statt Plätzchen

In manchem Bücherschrank steht irgendwo – vielleicht verstaubt – ein Büchlein mit gesammelten Texten zum Weihnachtsfest. Es lohnt sich, sie einmal wieder zu lesen. Halten wir also an einem Spätnachmittag im Advent Kaffeeklatsch mit Dichterworten und leisten wir uns statt Plätzchen Lyrik und Prosa. Viel gibt es da zu genießen.

Denn kaum ein Fest im Jahresreigen spiegelt so unterschiedliche und doch so ähnliche Gefühle wider und wird in der Literatur so gefeiert wie Weihnachten. Fast alle Dichter haben sich damit beschäftigt. Viele erinnern sich an die eigene Kindheit und sprechen damit ihren Lesern aus der Seele. Denn Weihnachten bedeutet fast immer Rückbesinnung und in späten Jahren auch Trauer um Vergangenes. »In meines Vaters Haus hatte die Weihnachtsbescherung noch einen Reiz, den ich in diesen leichtfertigen Zeiten überall vermisse«, klagt Heinrich von Kleist vor 200 Jahren. Und bis heute möchte ihm fast jeder zustimmen. Verlustgefühle im Zusammenhang mit Weihnachten kennen wir alle. Treffend formuliert hat sie Theodor Storm, wenn er in seinem Gedicht »Weihnachtslied« sagt: »Es sinkt auf meine Augenlider ein goldner Kindertraum hernieder. Ich fühl's, ein Wunder ist gescheh'n.« Er meint damit nicht das Wunder von Bethlehem, sondern ganz einfach das Wunder »der lieben Weihnachtszeit«, das er mit seinen Worten für sich zurückholen will.

Andere Autoren berichten von unerfüllten Erwartungen und dem Traum von Liebe und Hoffnung, auch über Wunder, die von der Gegenwart Gottes zeugen, wie in »Bergkristall« von Adalbert Stifter, den meisten von uns als Schullektüre in Erinnerung: Zwei Kinder werden auf einem Irrweg in eisiger Bergwelt zum guten Ende geführt. Und natürlich gibt es auch die kritischen Texte, die von sozialen Ungerechtigkeiten erzählen. Kaum ein Satiriker oder Sozialkritiker unter den Schriftstellern hat sich das Thema entgehen lassen, man denke an Bertold Brecht, Erich Kästner, Tucholsky, Loriot und Günter Grass.

Und wie gekonnt zeichnet Thomas Mann das Fest in der Lübecker Mengstraße im Haus der weihnachtlich beseelten Senatorin Buddenbrook, »die den Heiligen Abend fest im Besitz hielt, und zwar für die ganze Familie«.

Ein eigener Zauber liegt über diesem Text mit seiner Hauptperson, dem kleinen Hanno, der voller Freude die Adventszeit erlebt: »Schon war der große Saal geheimnisvoll verschlossen, schon waren Marzipan und braune Kuchen auf die Tische gekommen, schon war es Weihnacht draußen in der Stadt. Schnee fiel ...«

Ein Literatur gewordenes Weihnachtsfest sind diese Seiten des großen Romans, mit denen wir uns gerade jetzt verwöhnen könnten. Und auch Theodor Fontane hat sich die Weihnachtsthemen nicht entgehen lassen. Der Menschenkenner und Romancier wußte sehr wohl, daß diesem Zauber auch Erwachsene erliegen dürfen. »Schlimm stünd's um uns, wenn solche Dinge uns nichts bedeuteten«, sagt Robert Walser dazu in seinem Gedicht »Der Weihnachtsbaum«.

Das aber ist Gott sei Dank noch nicht der Fall. Und eine Lesestunde im Advent, die wir uns ganz bewußt gönnen, kann noch immer zu einer kleinen vorweihnachtlichen Bescherung werden.

10. TAG

Der Adventskranz läßt bitten

Es ist schon so: Gerade dort, wo Menschen dicht beieinander wohnen, ist die Einsamkeit am größten. Türen bleiben geschlossen, Worte ungesagt. Man begegnet sich im Aufzug, grüßt, das ist alles.

Fernsehen, Musik, Lesen, all das kann die Phantasie anregen und die Zeit vertreiben, aber nicht das Herz bewegen. Dazu ist mehr nötig. Ein Lächeln, eine Frage, ein freundlicher Kontakt eben. Das klingt einfach, ist aber für viele sehr schwer. Selbstzweifel – ich bin ja schon so alt – , die Befürchtung, nicht anerkannt zu sein, zu stören, weil man schlecht hört oder nicht so gut auf den Beinen ist, hindern viele Menschen daran, auf andere zuzugehen. Sie verstummen, man sieht sie nicht mehr. Mehr Menschen fühlen sich unsicher und zurückgesetzt, als wir denken. Oft genug auch solche, von denen wir es nie erwartet hätten.

Warum ihnen nicht entgegen gehen, sie ansprechen? Gerade jetzt im Advent, Zeit der Vorfreude und Erwartung. Die ersten Plätzchen sind gebacken, die Wohnung ist vorweihnachtlich geschmückt und wartet geradezu auf Gäste. Der grüne Kranz steht auf dem Tisch und erinnert daran, daß es die alten Bräuche und die Traditionen sind, die uns auch heute noch helfen, im Rhythmus des Jahres zu leben, den Wechsel zwischen Alltag und Festtag, zwischen Hektik und Entspannung zu spüren. Sie verschaffen uns Halt und Atempausen. Der Advent ist voll davon. Und auch die Weihnachtsmärkte gehören dazu, mit ihrer Geschäftemacherei, mit dem Glühwein, dem Drängeln, den Posaunenchören.

All das versetzt uns in eine besondere Stimmung. Eine Stimmung, die man teilen möchte. Grund genug also, eine Einladung auszusprechen. Sie kann Türen öffnen und Herzen und manches wieder ins Lot bringen. Jetzt ist der richtige Augenblick. Gerade im Alter sollte man nicht aufschieben, was man tun möchte. Wie oft haben wir schon erfahren müssen, daß wir zu spät kamen, zu lange gezögert haben, jemandem eine Freude zu bereiten, ihm zu zeigen, daß wir ihn schätzen! Und immer haben wir uns vorgenommen, daß das nicht wieder passieren soll. »Alles hat seine

Zeit« – diese Bibelweisheit, die die Menschen seit Jahrhunderten begleitet, gilt im großen und im kleinen, also auch für eine freundliche Einladung im Advent.

Sind die Gäste dann gekommen und ist der Abend gelungen, bleibt nach dem Abschied eine ganz besondere Stimmung im Zimmer zurück: Kerzen, die noch nicht ganz heruntergebrannt sind, der Duft der Tannenzweige, die noch ein bißchen nach Wald riechen, die Sofakissen, die zeigen, daß sich jemand hier wohlgefühlt hat. Noch klingen Gespräche und Gelächter nach. Zusammen mit einem letzten Schluck aus dem Weinglas trägt dieses Nachklingen dazu bei, daß die, die eingeladen haben, die geben und andere erfreuen wollten, sich selbst beschenkt fühlen können.

Schön ist das. Advent eben. Und bald ist Weihnachten.

11. TAG

Der Heimweh-Song

Die Geschichte von »Stille Nacht, Heilige Nacht« kennen wir. Zumindest fällt sie uns sofort wieder ein, wenn wir alle Jahre wieder in der Adventsbeilage der Tageszeitung lesen, wie es war, als im Jahr 1818 in Oberndorf bei Salzburg das vom Pfarrer Josef Mohr vertonte Gedicht des Schullehrers Xaver Gruber erstmals erklang.

Weniger bekannt ist die Geschichte von »White Christmas«, des erfolgreichsten Weihnachts-Songs aller Zeiten, eines Schlagers, der die Tränendrüsen der stärksten Männer strapazierte. Erstmals im Kriegswinter 1942 die der amerikanischen Soldaten, die Heimweh hatten, von Weihnachten träumten und eigentlich nicht verstanden, warum sie in einen Krieg ziehen mußten, der doch in Old Europe begonnen hatte. Irving Berlin, damals 53 Jahre alt und ein rastloser und bereits berühmter Komponist, hatte der Nation »White Christmas« unter den Kriegsweihnachtsbaum gelegt.

Geschrieben für den Film »Holiday Inn« (bei uns »Musik Musik«) und gesungen von Bing Crosby, blieb das Stück zunächst unbeachtet. Bald aber machte ihn die Demütigung durch die Japaner bei Pearl Harbour zum Trostlied der verwundeten Seele Amerikas. Die Soldaten, denen die Politiker eigentlich einen flotten, aufmunternden Schlager zugedacht hatten, wollten ihr Weihnachts-Sehnsuchtslied hören.

»White Christmas« wurde millionenfach verkauft, ist inzwischen, immer wieder neu interpretiert, durch die ganze Welt gezogen und wird sogar auf Suaheli gesungen. Das Lied, das Bilder von Schlittenfahrten und weißem Winterwald suggeriert, in jedem Mann das Kinderherz bewegt und bis heute in den Dezemberwochen unerschütterlich die Charts anführt, wird übrigens meist für ein altes Volkslied gehalten oder Bing Crosby zugeschrieben und kaum mit seinem genialen Schöpfer in Verbindung gebracht.

Der war entsetzt über die Vermarktung seines Hits und wehrte sich vehement – allerdings vergeblich – dagegen, daß Elvis Presley aus seinem Weihnachtslied eine Rock'n'Roll-Nummer machte.

Irving Berlin, der Einwanderer aus Sibirien, wurde 101 Jahre alt. Die letzten Jahre seines Lebens litt er unter Demenz und Depressionen. »White Christmas« aber, der Song, der die Amerikaner in schweren Zeiten getröstet hat und heute die Kaufhäuser der ganzen Welt beschallt, wird noch zu hören sein, wenn sein Name längst vergessen ist. Denn irgendetwas geht aus von dieser kleinen Melodie, macht uns heiter und traurig zugleich, wenngleich es eigentlich niemand so recht zugeben will.

12. TAG

Männer im Advent

Es gibt Männer, die können Geschenke machen, und es gibt Männer, die können das nicht. Folglich gibt es Frauen, die haben Schenker an ihrer Seite, und Frauen, die mit Nichtschenkern leben. Und das ändert sich auch nicht. Denn im Laufe eines Lebens kann man zwar viel lernen, klug werden und weise – die Literatur ist voll von überwältigenden Beispielen – , an der womöglich genetisch programmierten Eigenschaft des Nichtschenkenkönnens aber ist wohl nichts zu ändern.

Wie könnte es sonst sein, daß ein eigentlich liebenswerter Mann, der sich im Laufe seiner Familienkarriere als durchaus lernfähig erwiesen hat, alle Jahre wieder im Advent voller Unruhe vor der gleichen, für ihn kaum lösbaren Frage steht, die da lautet: Was schenke ich meiner Liebsten?

Ein Ritual, das sich im Laufe der gemeinsamen Jahre eingespielt hat, hilft nicht wirklich weiter. Denn auf die Frage, was sie sich denn wünsche, antwortet die Ehefrau jedesmal, je nach Gemütslage nachsichtig lächelnd oder gereizt seufzend: Deine Liebe aufs Neue!

Daß diese als Weihnachtsgeschenk nicht ausreicht, weiß der Ehemann genau. Denn natürlich erwartet sie, die sich als Mutter und Großmutter Jahr für Jahr um die großen und kleinen Gaben kümmert, die Heiligabend unter dem Christbaum liegen und dafür sorgen, daß die Familienstimmung als »gehoben« bewertet werden kann, auch für sich selbst ein Geschenk.

In der Zeit zwischen dem ersten und dritten Adventssonntag wird das Problem noch erfolgreich verdrängt. Wie jedes Jahr auf die letzte Woche vor Weihnachten. Dann werden Tochter oder Sohn angerufen, um anzufragen, ob denn dort vielleicht ein entsprechender Wunsch bekannt geworden sei. Die Antwort ist wie immer unbefriedigend. Aber der Countdown läuft. Tag für Tag wird ein Fensterchen am Adventskalender der Tageszeitung geöffnet, und die Leserinnen und Leser werden darauf hingewiesen, daß es nur noch soundsoviele Tage bis zur Bescherung sind. »Was schenkst du deiner Frau?« fragt der Ehemann seine altgedienten Stammtischbrüder. Die

Antworten sind mit den Jahren nicht hilfreicher geworden. Zwei Tage vor Weihnachten dann hat die Ehefrau ein Einsehen. »Ich habe gestern zufällig bei Mayer & Co. etwas liegen sehen, das hat mir eigentlich schon immer gefehlt«, sagt sie beiläufig und bemerkt sein erleichtertes Aufatmen. Sicherheitshalber fügt sie hinzu: »Ich glaube, es war auch in meiner Lieblingsfarbe da.«

Heiligabend liegt dann ein Päckchen von Mayer & Co. auf dem Gabentisch, darin etwas in Dunkelrot, wovon er annimmt, daß es ihre Lieblingsfarbe ist, was nicht stimmt. Dennoch freut sie sich über die Überraschung, und alles ist wie immer.

13. TAG

Christkind fliegt weiter

Die Gerätschaften stehen schon auf dem Küchentisch, und das handgeschriebene Kochbuch mit den Familienrezepten liegt daneben. Aber die rechte Begeisterung will sich nicht einstellen.

Viele Mütter und Großmütter, die jahrzehntelang in der Adventszeit Blech für Blech in den Herd geschoben haben, damit in der Familie jeder und jede mit Lieblingsplätzchen versorgt werden konnten, haben keine Lust mehr zu backen. Töchter und Schwiegertöchter haben ihre eigenen Rezepte, tauschen sich mit Freundinnen aus, die Enkelkinder backen schon im Kindergarten, und die gekauften Lebkuchen schmecken wirklich gut. Die Zimtsterne, angeboten vom Bäcker um die Ecke, sind so schön, wie man sie sich immer vergeblich gewünscht hat.

Und doch! Wenigstens die Butterplätzchen mit Mandeln, die der älteste Enkel immer ganz schnell vom Plätzchenteller geholt hat, sollen es sein. Er wird in diesem Jahr den Heiligabend mit einer Studiengruppe im Ausland verbringen. Aber er soll ein Paket von seiner Großmutter bekommen, mit seinen Lieblingsplätzchen. Und einen Weihnachtsbrief.

Beim Backen mischen sich dann Erinnerungen wie Rosinen unter den Teig. Die Rührschüssel und das Nudelholz, Zeugen vergangener Back-Tage, tragen dazu bei. Es kommt schon einiges zusammen an Weihnachtserfahrungen, wenn man alt geworden ist. Braut, Ehefrau, Mutter, Großmutter – und seit ein paar Jahren Witwe, das sind die Stationen. Und jedes Jahr war Heiligabend. Trotz aller Verluste ein geliebtes Fest.

Schwierig ist das Loslassen. Weihnachten aus der Hand geben, das muß überstanden werden. Wer klug ist, tut es bald, läßt die jungen Familien machen. Sie müssen es lernen, ihr eigenes Fest zu gestalten. Aber wer ist schon klug, wenn es sich um Weihnachten handelt? Wer will sich schon trennen von Traditionen und Ritualen, wer will es schon teilen, das Weihnachtsreich, zurücktreten und das Christkind mitsamt seinen Engeln weiterfliegen lassen?

Ist der Schritt erst einmal getan, wird in manchen Familien genau abgewechselt. Einmal feiert die Großmutter bei der Tochter, einmal beim Sohn. Sie setzt ihr Weihnachtsgesicht auf, packt die Geschenke ein und macht sich auf den Weg. Es wird ein schöner Abend werden. Vor allem dann, wenn Kinder und Schwiegerkinder die Familientraditionen übernommen haben. Das ist sehr oft der Fall.

Und deshalb werden auch diesmal wieder die Butterplätzchen gebacken.

14. TAG

Adventszeit ist Blockflötenzeit

Alle Jahre wieder im Advent ist Blockflötenzeit. Seit Generationen werden zwischen Barbaratag und Heiligabend mit wachsendem Eifer Weihnachtslieder geübt. Kinder und Enkelkinder blasen die Backen auf, denn sie wissen, was von ihnen erwartet wird. Und die Musiklehrerinnen auch. Schon im Kindergarten werden die alten Weisen rauf und runter gespielt. Alle paar Jahre kommt ein neuer »Hit« dazu.

Warum nicht mithalten, fragt sich die Großmutter. Die Flöte liegt seit Jahrzehnten im Schrank, die Noten auch. Keiner in der Familie weiß, daß sie früher musiziert hat. Sie sucht eine Lehrerin, findet Gleichgesinnte und gründet einen Flötenkreis. Ernsthaft wird die Literatur studiert, über die Tonlagen diskutiert, geübt und geübt, bald findet ein erstes kleines Adventskonzert statt, und alle sind beglückt. Was ist geschehen? Ein neues, altes Hobby wurde gefunden und aufgefrischt. Was man als Kind gelernt hat, vergißt man nicht, das Langzeitgedächtnis funktioniert, und die Melodien bringen Erinnerungen zum Klingen. Alle erleben voller Freude: Ein Instrument zu spielen mobilisiert Körper und Geist. Die grauen Zellen werden trainiert, die Motorik der Finger auch. Entscheidend aber ist das Glücksgefühl beim Musizieren; das spüren alle. Advent ist genau der richtige Zeitpunkt zum Wiedereinstieg. Denn kein anderes Fest im Jahreslauf bezieht seine typische Stimmung so sehr über Lieder und Melodien wie Weihnachten.

Man denke nur an »Oh, du fröhliche ...«, dieses so beliebte Weihnachtslied, das übrigens keineswegs in fröhlicher Stimmung geschrieben wurde. Die Melodie stammt von einem sizilianischen Volkslied, das Johann Gottfried Herder überliefert hat, der Text von Johannes Daniel Falk, dessen poetisches Talent von Christoph Martin Wieland in Weimar entdeckt wurde. Falk schrieb den Text 1813 in äußerst düsterer Gemütsverfassung, nachdem kurz hintereinander vier seiner Kinder an Fieber gestorben waren. »Welt ging verloren«, heißt es darin voller Kummer, dann aber auch: »Christ ist geboren, freue dich, o Christenheit.«

Diese Freude teilt sich mit, gesungen und geflötet, bei Adventsfeiern ebenso wie unter dem Familien-Christbaum. Als musikalischer Einstieg, bevor der Rausch des Geschenkeauspackens beginnt, ist »Oh, du fröhliche …« unverzichtbar und treibt nicht selten ein paar Rührungstränen in die Augen der Älteren, ungeachtet der allgemeinen Textnot, die meist schon nach der ersten Strophe einsetzt.

Wie schön, wenn da wenigstens die Großmutter mit ihrer Flöte durchhält, und noch schöner, wenn die Enkel mitflöten.

15. TAG

Kindheit in Geschenkpapier

Alle Jahre wieder der gleiche Jammer: »Was wünscht du dir zu Weihnachten?«, fragt ein lieber Mensch, und wir haben keine Antwort parat. Es fällt uns kein einziger Wunsch ein.

Wie phantasielos sind wir geworden! Als Kinder sprudelten die Wünsche nur so aus uns heraus, heute sind wir ratlos bei der alljährlich wiederkehrenden Frage. Und auch im umgekehrten Fall. Was schenken wir wem?

Eigentlich traurig, wenn man bedenkt, daß Wünschen und Schenken so viel über uns und unsere Beziehungen zueinander aussagen. Nicht umsonst heißt es: Ich schenk dir mein ganzes Vertrauen, meine Aufmerksamkeit, meine Hochachtung, mein Herz gar. All das kann eben auch ein Weihnachtsgeschenk ausdrücken, als eine Gabe, die ganz persönlich ausgesucht wurde. Als ein Zeichen dafür, daß nachgedacht wurde über eine Person, über ihre augenblickliche Situation und darüber, was ihr gerade jetzt Freude bereiten könnte.

Schenken ist Beziehungspflege. Und daß immer mehr Menschen das Schenken zu Weihnachten abgeschafft haben, um sich dem »Konsumterror« zu entziehen, wie sie sagen, klingt für mich wie eine Ausrede. Wer nichts schenkt, muß nicht über andere nachdenken, und wer nichts geschenkt bekommt, muß sich nicht freuen und sich auch nicht bedanken. Denn auch das ist für manche unter uns ein Problem. Erstaunlich viele Menschen tun sich schwer damit. Es ist, als ob sie nicht zeigen könnten, daß sie sich freuen, und als ob sie nicht wüßten, wie sie es sagen sollen.

Vielleicht liegt es daran, daß in der Kindheit jedes Geschenk mit der Mahnung »Sag Dankeschön!« verbunden war, daß sie Küßchen geben mußten, die sie nicht geben wollten. Vielleicht sind sie aber auch unfähig zu glauben, daß jemand in Liebe an sie gedacht hat.

Menschen mit verschlossenen Weihnachtsherzen sind das, Weihnachtsmuffel nennen sie sich selbst salopp.

Aber so einfach ist das nicht. Vielleicht wollen sie sich schützen vor Emotionen, denen sie nicht trauen, und vor der Sehnsucht nach Vergangenem. Weihnachten ist für sie der Ort, an dem sie sich klein und behütet gefühlt haben und an den sie zurückkehren wollen. Aber sie wissen, daß das nicht möglich ist. Kindheit in Geschenkpapier, das gibt es nicht.

Deshalb haben sie es schwer in diesen Wochen und mit diesem Fest. Und gerade deshalb verdienen sie ganz besondere Geschenke – Wertschätzung, Verständnis und Zuwendung nämlich und Achtung vor ihren Gefühlen.

Übrigens, auch ein Brief oder eine Einladung zu einem Spaziergang können schöne Weihnachtsgaben sein; und ein schönes Dankeschön auch.

16. TAG

Wo ist die Brille?

Wann wird man alt? Ab fünfzig? Wenn das erste Enkelkind kommt? Wenn die Berufszeit endet? Kommt darauf an, sagen die Wissenschaftler und zitieren endlose Studien über biochemische Vorgänge, Zellteilung und Daten unseres Erbgutes.

Klar – sie wissen es auch nicht. Der Alltag aber gibt Antworten. Und eine davon lautet: wenn uns »Hören und Sehen vergeht«.

Mit der Brille fängt es an. Menschen, die immer stolz waren auf ihre guten Augen, können Kleingedrucktes nicht mehr lesen, schimpfen auf die Zeitung, halten beim Einkaufen die Preiszettel »auf Abstand«. Altersweitsichtig, diagnostiziert der Augenarzt: »Sie brauchen eine Lesebrille!« Und damit beginnt der Ärger. Denn die Brille ist nie da, wenn man sie braucht. Suchen, schimpfen, weitersuchen, so verbringt man als Neubrillenträger seine Tage. Auch beim Einkaufen der Weihnachtsgeschenke macht sich das Problem bemerkbar. Steckt sie in der Handtasche, in der Manteltasche oder liegt sie gar noch in der Buchhandlung zwei Straßen weiter? Beim Plätzchenbacken wird mit Teighänden nach der Brille gesucht, und auch Heiligabend, beim Auspacken der Geschenke, heißt es: »Wo ist die Brille?«

Lästig ist das, aber nicht wirklich schlimm. Kein Vergleich zu dem, was auf Menschen zukommt, die unter krankhafter Veränderung der Netzhaut leiden, oder Menschen, die schwerhörig werden und sich vor Taubheit fürchten müssen. »Ich fühle mich getrennt von den Menschen«, so formuliert ein Mann, was er empfindet.

Natürlich gibt es auch hier Hilfe – durch Hörgeräte, eventuell durch Operation, und auch in der Augenheilkunde gibt es erfolgversprechende Möglichkeiten der Behandlung. Manche Ältere aber können sich nicht dazu durchringen. Sie fragen sich, ob sie das noch wollen, sie haben Angst vor dem Krankenhaus und wagen es nicht, Pläne zu schmieden. Also finden sich ab mit Defiziten, sehen ihr Alter als Manko und ziehen sich zurück. Plötzlich hört man nichts mehr von ihnen.

Was sie verstummen läßt, sind fehlendes Selbstvertrauen und fehlende Zuversicht, und was sie brauchen, ist Ermutigung. Denn Altwerden ist nicht »ein Kapitel für sich«, sondern eins, das zum Leben gehört und das noch einiges zu bieten hat. Die Freude an Dingen zum Beispiel, die man früher übersehen hat, gewonnene Zeit, die man für sich selbst nutzen kann, und Menschen, an denen man früher vorbeigegangen ist.

Wer resigniert, verzichtet.

Schenken wir uns also Ermutigung zu Weihnachten, und lassen wir uns das Kapitel Alter im Buch des Lebens nicht entgehen!

Alle Jahre wieder Weihnachtsfeier

Was zieht man dieses Mal an? Die Frage taucht schon Anfang November auf, lange bevor die Einladung zur Weihnachtsfeier des Vereins im Briefkasten liegt. Daß sie kommen wird, ist so sicher wie der Heiligabend selbst. Denn das alljährliche Zusammenströmen festlich gekleideter Damen und Herren im geschmückten Vereinslokal, wo man an weißgedeckten, langen Tischen sitzt, zwischen sich und dem Gegenüber ein Adventsgesteck mit roter Kerze, das man hin und her schiebt, weil es stört, gehört zum festen Programm der Vorweihnachtszeit.

Schon lange bevor es losgeht, füllt sich der Saal. In der Garderobe sammeln sich solide Gesundheitsschuhe, die gegen zierliche Pumps getauscht wurden, die in den nächsten vier Stunden Fußschmerzen verursachen werden. Vor dem Spiegel werden Locken gerichtet und die Männer mit letzten Ermahnungen bedacht: »Frage nicht, ob der Mann von Frau M. auch kommt. Er ist im August gestorben.«

Diese Information ist nötig, denn etwa die Hälfte der Mitglieder des Vereins sieht sich nur zur Weihnachtsfeier. Die nimmt dann ihren Anfang mit der Begrüßung durch den Vorsitzenden. Seine Augen leuchten, denn drei Stadträte und eine ehemalige Abgeordnete sind zu nennen, der Bürgermeister hat – wie im vergangenen Jahr auch – ein Grußwort geschickt. Danach werden erst einmal die Getränke bestellt. Das ist erfahrungsgemäß sorgfältig zu planen, denn das Programm des Abends wird sich hinziehen. Man kennt das.

Die Redner sind immer die gleichen. Sie beschallen ihre Zuhörerschaft, die eng sitzt und nicht aufstehen kann, mit Beiträgen, die alle irgendwann schon einmal gehört haben. So ähnlich jedenfalls. Vom Helfen, vom Lieben und Lassen ist die Rede. Vom »sozialen Miteinander« also, wie es der eine Stadtrat ausdrückt. Der andere trägt mit dramatischer Stimme den Text »Schenk mir Zeit« vor, den man schon von anderen Adventsfeiern kennt. Zustimmend wird genickt.

Schließlich muß noch über neue Frisuren, Enkel, Scheidungen und Insolvenzen gesprochen werden. Alles Ereignisse der vergangenen zwölf Monate, die einer Kommentierung bedürfen. Ein Glück, daß die Gitarrengruppe der Musikschule aus Gründen der Terminüberschneidung absagen mußte. Das schenkt Zeit für eine Frage an die Tischnachbarn nach dem Fortkommen ihrer Kinder. Gestellt mit dem Ziel, die erste kleine Pause gnadenlos zu nutzen, um von den Erfolgen des eigenen Nachwuchses zu berichten.

So war es im vergangenen Jahr, und so wird es auch diesmal wieder sein. Eine Adventsfeier, wie sie sein muß, voller Stimmung und Mitmenschlichkeit. Das neue Kleid wird niemanden interessieren, deshalb wird es das alte sein.

18. TAG

Zwiesprache mit Raphael

»Du hast es gut«, begrüße ich den großen Keramikengel, den ich am dritten Adventssonntag aus dem Keller hole, damit er sich schon ein bißchen eingewöhnen kann, bevor ich ihn am Heiligbend neben den Christbaum stelle. »Du hast es gut, denn du wirst nicht älter.«

Ich schau ihm in die gemalten Augen, während ich ihn aus dem Seidenpapier wickle, das knittrig ist wie mein Gesicht. Er ist mein ganz persönlicher Adventsgast, beobachtet Jahr für Jahr meine letzten Vorbereitungen für das Fest, hat Menschen kommen und gehen sehen. Hat erlebt, wie eine geliebte Person beim Schmücken des Christbaumes noch dabei gewesen ist und beim Abschmücken nicht mehr, hat beobachtet, wie die Kinder und Enkelkinder ihre Geschenke ausgepackt haben, hat gesehen, wie ich älter wurde.

»Mein Leben wird immer kürzer«, sage ich, während ich seine Flügel abstaube, die für seinen gedrungenen Körper eigentlich zu klein sind, »im ganzen aber immer länger. Das Alter dehnt sich aus, beansprucht inzwischen mehr Zeit als Kindheit und Jugend zusammen. Wie soll das weitergehen?«

Mein Engel schaut mich an. Bei seinem Einzug in mein Haus vor über dreißig Jahren habe ich ihn Raphael genannt, nach dem Erzengel, der als Schutzengel für die Kinder zuständig ist. Eigentlich bin ich zu alt für ihn. Mein Engel und ich nehmen das nicht so genau. »Die einen sagen, das Alter bringe neue Freiheiten«, erkläre ich ihm die Situation. »Manchmal denke ich, das stimmt. Manchmal denke ich aber auch, sie sagen das nur, um etwas, das nicht zu ändern ist, ertragen zu können.«

Das Schlimmste am Altern ist sowieso die Vorstellung, die wir davon haben. Kaum einer sagt uns, wie das ist, und wenn doch, dann hört man nicht zu. Man kann altern auch nicht lernen. Es passiert einfach. Und meist merken es zuerst die anderen. In kleinen Hinweisen teilen sie uns das mit. Das Wörtchen »noch« spielt dabei immer wieder eine Rolle. »Willst du dir das wirklich noch zumuten?« heißt es dann fürsorglich. Oder es wird berichtet von Frau M., die plötzlich sehr »abgebaut« habe. Aber sie sei ja auch schon soundso alt. Exakt der gleiche Jahrgang wie ich selbst, stelle ich insgeheim fest.

»Vermutlich wäre das Altern ohne die Teilnahme der anderen besser zu ertragen«, teile ich meinem Engel mit. Ihm ist das egal. Er wird nicht alt. Er kann höchstens vom Sockel fallen und in Scherben gehen. Was ich verhindern möchte, denn er ist mir ein Vertrauter geworden. Jedes Jahr, wenn ich ihn auspacke, wird er Zeuge meiner Adventsstimmung, hilft mir, das vergangene Jahr zu überdenken, hört mir zu und stellt keine Fragen.

Vielleicht ist er ja doch ein richtiger Schutzengel, mein Raphael.

19. TAG

Weihnachtsflüchter

Feiertage stehen bevor. Wenn sie günstig liegen, kann man eine ganze Woche Urlaub daraus machen. Und deshalb werden jetzt Pläne geschmiedet. Wie, wohin, zu welchen Konditionen? Es geht um die Weihnachtsangebote.

Die einen wollen in die Sonne, sonst nichts. Die anderen wollen dem Familienstreß entgehen, und sonst nichts. So oder so, die Koffer werden wieder gepackt.

Weil sie allein leben und einer Kette einsamer Tage entkommen wollen, gehören auch viele Ältere zu diesen Weihnachtsflüchtern. Sie wissen aus Erfahrung: An den Festtagen und danach konzentriert sich alles auf die Familie, draußen läuft wenig. Behörden und Einrichtungen sind geschlossen. Und beim Hausarzt meldet sich nur der Anrufbeantworter. Das geht so bis Dreikönig. Auch im Festprogramm der Medien steht Familienweihnacht im Vordergrund, Wiederholungen alter Filme füllen die Abende und sollen Erinnerungen wecken. Mögen sie noch so schön sein – in dieser Zeit machen sie nicht froh, sondern eher traurig. Dazu kommen Enttäuschungen, weil eine Einladung zum Fest nicht eingetroffen ist oder ein Besuch abgesagt wurde.

Wer in solcher Situation beschließt, auf Reisen zu gehen, hat sicher keine schlechte Alternative gewählt. Christkind unter Palmen oder im Skihotel erleben eher die Jüngeren, Weihnachtsmenue mit Konzert im gepflegten Familienhotel die Älteren – oft verbunden mit Busfahrten und kleinem Kulturprogramm. Auch Paare begeben sich auf solche Reisen und haben sich vielleicht unter dem fremden Christbaum mehr zu sagen als zu Hause. Denn Reisen regt an, schafft neue Gesprächsthemen. In fremder Umgebung sieht manches anders aus. Menschen, die mit ähnlichen Gründen die Festtage verbringen, treffen sich, können darüber reden oder auch nicht, freuen sich am weihnachtlich geschmückten Haus, das eben nicht das eigene ist, am guten Essen und an den Sehenswürdigkeiten, die der Urlaubsort zu bieten hat. Man nimmt Kontakt auf, aber geht keine Verpflichtungen ein. Manches ist wieder möglich – auch oder gerade, weil Weihnachten ist. »Ich verreise«, antworten deshalb immer mehr Ältere auf die beliebte und nervigste aller Adventsfragen, die da lautet: »Und wo feiern Sie?«

Zurückgekehrt freuen sich die Weihnachtsflüchter auf eine Wohnung ohne Tannennadeln, auf Post und Neuigkeiten, darauf, daß die Tage wieder länger werden, und geduldig hören sie sich die Weihnachtsgeschichten der anderen an.

Gute Reise also und gutes Nachhausekommen!

20. TAG

Christbaum oder nicht?

Als Kind kann man sich Weihnachten ohne Baum nicht vorstellen. Dabei ist der Christbaum in Familien noch gar nicht so lange üblich. Für Johann Wolfgang von Goethe beispielsweise, der in seinem Frankfurter Elternhaus zu Weihnachten zwar üppiges Schmausen und Feiern erlebte, gab es dort noch keinen geschmückten Baum. Den beschrieb er erst 1822 in einem Gedichtzyklus, gewidmet seinem Dienstherrn und Gönner Herzog Karl August von Sachsen-Weimar. Darin heißt es: »Bäume leuchtend, Bäume blendend, überall das Süße spendend. In dem Glanze sich bewegend, alt' und junges Herz erregend ...«

Kennengelernt hat er den Christbaum allerdings schon früher. Bei der verehrten Charlotte von Stein, die am Heiligabend Geburtstag feierte, gab es ihn ab 1796. Prinz Albert von Sachsen-Coburg-Gotha, der Gemahl von Königin Viktoria von Großbritannien, war es dann, der 1840 deutsche Weihnacht samt Christbaum am britischen Hofe einführte. In Straßburg soll es schon 1605 einen Baum gegeben haben, in dessen Zweigen rote Äpfel hingen, und 1611 wird über die erste kerzengeschmückte Tanne im Schloß der Herzogin Dorothea Sybille von Schlesien berichtet.

Und heute? Baum oder nicht, die Frage stellt sich, wenn man älter wird.

Natürlich habe sie ihren eigenen Christbaum, sagt die alte Dame, die seit Jahren Weihnachten allein verbringt. Andere Alleinstehende haben sich auf Zweige und Dekorationen umgestellt, und auch ältere Ehepaare trennen sich irgendwann vom Baum. Solange Kinder im Haus sind, gelten die eingespielten Rituale. Später genügen vielen Tannenzweige, Weihnachtsschmuck und Kerzen.

Den Brauch, in düsterer Winterszeit grüne Pflanzen als Zeichen der Hoffnung auf neues Leben ins Haus zu holen, gab es bereits im Altertum. Schon die Römer bekränzten ihre Villen zum Jahreswechsel mit Lorbeerzweigen, und im mittelalterlichen Deutschland holte man je nach Landschaft Eibe, Stechpalme, Wacholder, Mistel, Buchs und eben auch Tanne oder Fichte ins Haus. Man versprach sich Lebenskraft von den wintergrünen Gewächsen.

»Wir schmücken unsere Wohnung schon am ersten Advent mit grünen Zweigen«, berichtet ein alter Herr. »Ganz in Ruhe, Weihnachtsstreß haben wir abgeschafft. Bei uns gibt es auch keinen Christbaum mehr, weil der zur Kinderweihnacht gehört. Und die ist vorbei, seit Sohn und Tochter an anderen Orten wohnen.«

Viele Ältere halten es so. Dafür erleben sie mit Freude die Adventszeit, laden gerne Besuch ein und gehen selbst gerne besuchen. Mehr und mehr sind für sie die vier Wochen vor Weihnachten, die früher so voller Vorbereitungen und voller Termine steckten, bewußtes Zugehen auf das wichtigste Fest im Kirchenjahr geworden.

Heiligabend ist dann Heiterkeit angesagt, auch Dankbarkeit dafür, zu zweit zu sein und gute Erinnerungen zu haben. Der altersweise Hermann Hesse sagte einmal: »Was wäre mit uns Alten, wenn wir das nicht hätten, das Bilderbuch der Erinnerungen, den Schatz des Erlebten!« Und das gilt eben auch für die Weihnachtszeit.

21. TAG

Weihnachtspost und Gefühle

Wann haben Sie zum letzten Mal einen ganz persönlichen Brief bekommen? Schon länger her vermutlich. Dann fragen Sie sich einmal, wann Sie selbst geschrieben haben. Vermutlich auch schon länger her.

Und das ist schade. Zwar sind wir stolz auf E-Mail und SMS, falls wir die neuen Techniken beherrschen, aber die Freude, die ein Brief auslösen kann, den wir morgens aus dem Kasten holen und in die Wohnung tragen, können elektronisch verschickte Zeilen nicht ersetzen.

Zum Glück gibt es noch die Weihnachtspost. So um den vierten Advent liegt die erste Weihnachtskarte im Briefkasten. Und am nächsten Tag noch eine. Jemand hat an uns gedacht, hat sich Zeit genommen, unseren Namen geschrieben in unverwechselbarer Handschrift. Ein lieber Satz auf einer schönen Karte kann ein Signal sein, ein langer Brief das Herz bewegen. Er liegt auf dem

Tisch, wird aufbewahrt und kann auch später noch an Menschen und Ereignisse erinnern.

Man spricht vom »Empfänger« eines Briefes. Darin liegt Wertschätzung. Wer also einen persönlichen Brief empfängt, darf sich beachtet fühlen. So gesehen, sind die Weihnachtsgrüße und Weihnachtsbriefe Geschenke, die heute, in Zeiten von Internet und Handy, wertvoller sind als je zuvor.

Die Freude darüber ist das eine, der Entschluß, selbst zu schreiben, das andere. Wenn Herz und Sinne beteiligt sind, entsteht dabei eine ganz besondere Adventsstunde: Denn die Menschen, die mit Weihnachtsgrüßen bedacht werden sollen, scheinen ins Zimmer zu treten. Eine kleine vorweihnachtliche Gesellschaft versammelt sich da, die dazu einlädt, in Gedanken-Verbindung zu treten.

Dabei kann es geschehen, daß ganz unerwartet eine Person auftaucht, die uns einmal etwas bedeutet hat und die uns dann unbemerkt abhanden gekommen ist. Wie mag sie durch die Jahre gekommen sein, wie hat sich das Leben in dieses Gesicht hineingeschrieben? Wie klingt die Stimme heute, was sagen die Hände? Unvermittelt wird

Sehnsucht nach Vergangenem spürbar, auch nach der Person, die man selbst einmal war. Eine Sehnsucht ist das, die tief in uns steckt und die sich im Schutz der vorweihnachtlichen Rituale hervorwagt.

Knüpfen wir an, schreiben wir einen Gruß oder einen Brief! Vielleicht wird eine Fahrkarte daraus für eine Reise in die Vergangenheit, und vielleicht gibt es einen neuen Anfang in der Gegenwart. Die Adventszeit, die uns empfänglich macht für Gefühle wie keine andere Zeit im Jahr, macht das möglich. Und Menschen, die in die Jahre gekommen sind, dürfen sich solche Gefühle erlauben.

22. TAG

Diesmal nicht

Schon im September hat sie darüber nachgedacht, aber die Entscheidung verschoben. Dann, beim Licht der ersten Adventskerze, hat sie sich entschieden: »Diesmal nicht«, sagte Frau M. zu sich. Sie wird Weihnachten allein verbringen und nicht zu ihren Kindern fahren.

Natürlich kam ein Telefonanruf vom Sohn: »Warum denn nur? Es war doch immer so, seit Vater tot ist. Und überhaupt, was willst du denn machen, allein an Weihnachten?«

Ja, was? So genau wußte sie das auch nicht. Sie wußte nur, daß sie sich nicht in einen überfüllten Zug setzen wollte, um bepackt mit Geschenken in eine andere Stadt zu fahren, wo eine – zugegeben liebe – junge Familie dringend eine Großmutter unter dem Christbaum braucht. Nein, diesmal nicht!

Also hat sie einen schönen Vorweihnachtsbrief geschrieben, einen stattlichen Geldschein hineingesteckt, damit die Wünsche der Enkelkinder erfüllt werden können, und den jungen Eltern einen Gutschein für ein Babysitter-Wochenende samt Opernkarten in Aussicht gestellt. Die jährliche vorweihnachtliche Einkaufstour reduzierte sich so auf ein Minimum. Ein paar Kleinigkeiten für gute Freunde, ein bißchen Luxus für sich selbst. Am dritten Adventssonntag wurde dann die Wohnung weihnachtlich geschmückt, am vierten war der Kühlschrank gefüllt mit Leckereien, und am 24. Dezember ging sie in die Christmette, hat die jungen Familien betrachtet und an »früher« gedacht, als sie noch für »das Fest der Liebe« verantwortlich war, mit all den arbeitsreichen Vorbereitungen. – Vorbei! Das ist jetzt Sache der nächsten Generation.

Zuhause hat sie bei Kerzenlicht Musik gehört, mit den Kindern telefoniert, deren Geschenke ausgepackt, Erinnerungen zugelassen, sich ein bißchen leid getan und ganz ungeniert ein paar gute Tränen vergossen, ohne daß jemand fragte: »Was hast du denn?« Wunderbar hat sie dann im eigenen Bett geschlafen, und dieser Schlaf war wie ein zusätzliches Weihnachtsgeschenk.

So jedenfalls war es im vergangenen Jahr, und

diesmal wird es wieder so sein, denn Frau M. hat »nein« gesagt zum traditionellen Großmutterweihnachten.

Am ersten Feiertag wird sie in die Kirche gehen, um den festlichen Gottesdienst zu erleben, denn eigentlich ist das ja der wirkliche Weihnachtstag, an dem die Geburt Jesu gefeiert wird. Irgendwie hatte sie das jahrelang vergessen. Dann wird sie ihre schöne Wohnung genießen, vielleicht einen Spaziergang machen. Abends wird sie sich mit Freunden treffen, die ebenfalls alleine sind, eine Verabredung, auf die sie sich sehr freut.

Sie ist festlich gestimmt. Und diese Stimmung wird noch ein paar Tage anhalten, denn Frau M. hat festgestellt, daß Loslassen Gewinn bringen kann, auch wenn es zunächst ein bißchen weh tut. Sie hat zum richtigen Zeitpunkt in ihrem Leben etwas geändert. Und gleichzeitig hat sie Veränderungen akzeptiert, die die Jahre mit sich bringen. Nur so, stellt sie fest, kann man mit dem Älterwerden Freundschaft schließen.

Gesegnete Weihnachten!

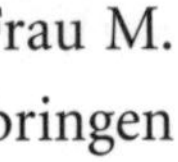

23. TAG

Erste Schritte

»Erzähl etwas von früher«, werden Großeltern immer wieder gebeten, weil sie zuständig sind für die Vergangenheit und für die Geschichten, die mit der Familie zu tun haben. »Frag die Oma«, sagen Mütter, wenn ihre Sprößlinge etwas wissen wollen, und Enkelkinder, die sich bestens auskennen im Fernsehprogramm, hören gespannt zu.

Jetzt, im Advent, geht es natürlich um Weihnachten. Und weil auf dieser Welt immer irgendwo geschossen wird und Bomben fallen, wollen die Enkel wissen, wie es damals war, im Krieg.

Ja, wie, fragt sich die Großmutter selbst. Natürlich waren »die Zeiten schwer« und die Frauen immer in Sorge. Um Brüder, Söhne, Väter, Ehemänner. Sie waren allein verantwortlich für die Kinder, dafür, daß Lebensmittel im Haus waren und alle ein Dach über dem Kopf hatten. Ein sicheres, denn es herrschte Bombenkrieg. Und nicht nur das. Es gab auch Verrat und Verfolgung.

Viele Menschen hatten schon Hab und Gut verloren, viele Männer waren im Krieg gefallen oder in einem Lager in Gefangenschaft, irgendwo in Rußland, man wußte nicht wo. Und trotzdem wurde die Adventszeit begangen und Weihnachten gefeiert.

Plätzchen aus Haferflocken, Honig und ein bißchen Fett wurden gebacken, und am Heiligabend saß die Familie mit allen Ausgebombten und Einquartierten nicht wie sonst in der Küche, weil es da warm war, sondern im großen Wohnzimmer. Großmutter hatte Briketts und Holz »organisiert«, wie man das damals nannte, um für ein paar Stunden zu heizen. Das war ihre Weihnachtüberraschung für die Hausgemeinschaft. Einen Christbaum gab es auch. »Den laß ich mir vom Hitler nicht auch noch nehmen«, hat sie gesagt. Der Baum glänzte im alten Schmuck, der aus dem Kellerversteck geholt worden war. Und Kerzen gab es. Woher, das wußte nur die Großmutter.

Geschenke allerdings gab es nicht, aber die Puppen der Kinder, die vorher auf geheimnisvolle Weise verschwunden waren, hatten neue Kleider an. Die hatte ein Weihnachtsengel auf der alten

Nähmaschine genäht; die Stoffe kamen uns aber doch irgendwie bekannt vor. Alle Hausbewohner hatten etwas zum Essen oder zum Trinken mitgebracht. Was eben da war. Und obwohl in dem großen Raum, der vor dem Krieg viele fröhliche Feste gesehen hatte, jetzt Sorge neben Kummer saß, klagte niemand.

Ja, und dann gab es noch eine große Freude. Das kleinste der Kinder, ein Mädchen mit rotem Haarschopf, 14 Monate alt, ihr Vater war an der Front und hatte sie noch nicht gesehen, nahm unerwartet eine Puppe in den Arm und machte seine ersten Schritte. Frei, von einem Stuhl hin zur Großmutter. So, als ob es verstanden hätte, daß sie mit diesem Abend dem Krieg und allem Leid, das er schon verursacht hatte, etwas entgegensetzen wollte.

Immer sind die ersten Schritte eines Kindes etwas Besonderes. Diese aber waren mehr, das fühlten alle. Sie waren ein Zeichen der Hoffnung. Zwar dauerte der Krieg noch mehr als vier Monate, zwar geschah noch sehr viel Unheil, aber die Menschen, die dieser Weihnachtsabend zusammengeführt hatte, haben alle überlebt. Als dann die Schrecken vorbei waren, sind sie ihrer Wege gegangen, einige im Wirtschaftswunderland verschwunden, andere haben immer mal wieder eine Weihnachtskarte geschrieben, bis auch die nicht mehr kamen.

Das kleine Mädchen von damals ist inzwischen Großmutter.

24. TAG

In stiller Nacht

S »Stille Nacht, heilige Nacht ...« – was wäre Weihnachten in Deutschland ohne dieses Lied? Für die meisten nicht vorstellbar, denn die drei Strophen bieten alles an Romantik und Gefühl, was Menschen brauchen, wenn sie sich in Weihnachtsstimmung versetzen wollen. Vom trauten Paar bis hin zur himmlischen Ruh'.

Nicht so bei Herbert H., 72 Jahre alt, Witwer, Rentner, Rheumatiker. »Es kommt mir so vor, als würde mich gerade in dieser Nacht die Stille erwürgen«, schreibt er in einem Brief, den er einer Zeitungsredaktion zukommen lassen will. »Seit drei Jahren kann ich die Wohnung nur selten verlassen, weil ich kaum noch gehen kann und auf einem Auge fast blind bin. Früher ging alles noch, da hat mich meine Frau versorgt, bis sie vor einem Jahr gestorben ist. Dies ist mein erstes Weihnachten ohne sie. Sie ist einfach weg. Alles ist leer und der Kühlschrank voller Fertiggerichte, die meine

Nachbarin für mich einkauft. Zum Reden habe ich die Katze. Eigentlich ist es die Katze meiner Frau und eigentlich mag ich keine Haustiere. Aber die Katze und mein Fernseher sind die einzigen Menschen in meiner Wohnung, mit denen ich reden kann. So weit ist es mit mir gekommen. Und jetzt schreibe ich diesen Brief, damit mich die Einsamkeit nicht umbringt in der Stille dieser Nacht.«

Herbert H., der diesen Brief schreibt, lebt in einem Hochhaus mit 43 Wohnungen. Die paar Stufen vom Aufzug bis vor die Haustüre kann er kaum noch gehen. Wenn er zum Arzt muß, alle paar Wochen, geht er auch zu seiner Bank, und wenn er dann heimkommt, hat er fast einen Tagesausflug hinter sich.

Für ihn ist diese Nacht in einem Haus voller Menschen eine dunkle Nacht. In seiner Wohnung gibt es keinen Weihnachtsschmuck, nicht einmal einen Tannenzweig. Er hätte seinen Brief auch an Gott schreiben können, an jenen Gott, der für das Wunder von Bethlehem verantwortlich ist, der den Engel geschickt hat mit der Nachricht von einer Geburt im Stall, die die Welt verändern sollte. Denn Herbert H. ist Christ und betet in letzter Zeit wieder mehr als früher. Aber seine Not mit dem Alleinsein, so vermutet er, kann Gott nicht verstehen. Würde er es sonst zulassen, daß Menschen sich ausgerechnet in dieser Nacht so elendig verlassen fühlen? Allein sein, denkt Herbert H., mag etwas für Gott sein, für die Menschen ist es nichts.

Gern würde er mit Gott reden, der ihn in dieses Dasein gerufen hat. Vielleicht könnten sie doch noch ins Gespräch kommen. Morgen will er es versuchen.

Und dann kommt eine Art Frieden über ihn. Es ist, als ob sich das eiserne Band um sein Herz löste. Wie in dem Märchen vom treuen Heinrich, denkt er noch, bevor er einschläft in der Stille dieser Nacht. Und die Katze liegt auf seinen Füßen.

Wir sind am Ende unserer kleinen Adventsreise angekommen. Die Texte hinter den Türchen dieses Adventskalenders sollten Sie einladen, die 24 Wartetage nicht zu durcheilen wie in jungen Jahren, sondern ganz bewußt bei sich, Ihren Gedanken und Erinnerungen zu verweilen.

Vielleicht haben Sie dabei feststellen können, daß die Adventszeit zwar auf Weihnachten zuläuft, aber eigentlich mit dem ganzen Jahr, unserem ganzen Leben und natürlich auch mit dem Altwerden, dem Ankommen, zu tun hat.

Darüber konnte ich mit klugen Menschen sprechen, die gelassen auf einen großen Teil ihres Lebensweges zurückblicken. Nachdenklich und heiter ging es dabei zu. Von Festhalten und Loslassen, Verharren und neu Beginnen war die Rede, immer wieder von Erinnerungen und davon, daß auch das Alleinsein gelebt werden kann. Diese Begegnungen haben dazu beigetragen, daß dieses Buch erscheinen konnte, und dafür sei gedankt.

Ihnen allen, liebe Leserinnen und Leser, ein schönes Weihnachtsfest und ein Jahr mit vielen guten Tagen!

Vielleicht auf ein Wiederlesen im nächsten Advent.

Ihre Charlotte Breyer